KB022023

내일을 붙들고 오늘도 흠뻑 걸었다

내일을 붙들고
오늘도
흠뻑 걸었다

김종희 시집

생각나눔

시인의 말

나는 내게 너무 늦게 물었지,

진정 가장 행복할 때가 언제냐고.

나는 너무 빨리 말해버렸지,

시를 지을 때라고.

아프고, 외로운 비용은 기꺼이 지불해야겠지.

2020. 겨울. 김종희

차례

제1부

제2부

제3부

제1부

줄무늬 샛노란 티셔츠

가장 안쪽 생일을 결제하고 두리번거려 줄무늬 샛노란 티셔츠를 보냈다 문득 나타나 수많은 근육이 한꺼번에 물결을 이루는데 난 순식간에 피어난 그 봄날! 겹꽃의 튤립에 신경을 타고 흐르는 강한 전류를 감지했던 것이다

예감 가득한 공간을 지나 별뉘 뒤쪽이었지 송그리고 앉아 울고 있는 까닭을 묻자 축 늘어진 벽지처럼 안기며 내게 말했던 것이다
이젠 옷이 작아져 입을 수 없다고 해져서 입을 수 없다고
가벼운 현기증과 함께 이마의 땀기. 더 큰 새 옷을 보낼 권한이 없기에 난 아무 말도 하지 못한 채 미래의 우울한 허상(虛像)을 기대했다

하늘이 들고 점(點)으로 걸어가는
마지막 뒷모습을 생각한다

응어리

누구에게나 응어리가 있다

가슴속이 무거울 때 들여다보면

끝내 찾지 못한 별

떨어져 버린 꽃봉오리

잊히지 않는 이름

터뜨리려 하면

깨부수려 하면 더욱 단단해지는

어루만져야 한다

호오오 불어야 한다

나의 것도

다른 이의 것도

그래야

우리 떠날 때 그리움 한쪽

놓을 수 있다

참사랑 변주곡

구름이 포효하는 들판

초라한 돛단배 하나 떠내려갑니다

이별은 바람을 내뱉는다고 들었습니다

꽃은

못내 그리워 꽃줄기를 비틀었어요

푹석 떨어진 거죠

재갈매기가 구름을 끌고 갑니다

바람은

생기 잃은 꽃 한 송이 싣고

바다라 불리는 데로 가게끔 이끌었지요

농란한 태양에 영상을 반납하고

돛단배는

수평선 밑으로 쿵 떨어졌습니다

바람도 물론 알지요

알아요

그들만의 낙원(樂園)이라는 것을

전갈

엄마 잃은 아기가 홀로 울고 있다

커다란 전갈이 서붓서붓 다가와 독침을 놓으려 한다

그때다

뒤따라온 어린 전갈이 필사적으로 막아선다

정채로운 달빛 아래

아기 발 아래 펼쳐지는 피투성이 몸짓

멀리 모래바람이 일 무렵

커다란 전갈은 결국 발길을 돌린다

아기는 아는지 모르는지 계속 울고 있다

죽음 준비

낮잡아 보지 말라는 부탁을 받고 나는 물었다
진정 잘 사는 방법에 대해

준비를 하세요 죽음 준비를요

두려워하지 마세요
해보다 더 멋진 별이 무수히 많을 우주를
당신 머릿속으로 가져오세요
달아나지 못하도록 정중앙에 꼭꼭 묶어 두세요
오른쪽 윗부분도 물론 괜찮아요
당신이 누구인지 알기 위한 첫걸음이라 할 수 있죠
책상이 필요해요 특별한 사람이란 걸 깨닫길 바라요
하나 더요
만물과 나눈 교감을 윗옷 왼쪽 주머니에 넣어 두세요
어둑어둑 밤에 꺼내어 풀잎에 정성껏 뿌려 보세요

차곡차곡 쌓이면서 당신의 삶은 푸르러질 거예요
만물에 사람도 포함되는 거 아시죠

풋! 다른 좀 더 신선한 거 없나요

그게 다예요 실천이 중요해요
당신이 왔고 다시 돌아갈 원래의 자리에서 보면
당신 같은 분은 엉성해 보일 수 있어요
하루하루 그대로인 삶 말이에요

오랜만에 낡은 자전거를 타고 바다로 갔다
수평선을 향해 소리치며 뛰다가 물에 빠질 뻔하기도 했다
아이의 손을 잡고 걷던 낯설지만은 않은 노파가
같이 걷자며 말을 건넸다
두 걸음 뒤에서 걷자

우리 사이로 들어와야 한다며 부드럽게 손짓했다

새 자전거를 타고 돌아오며 나는

악몽을 꾸지 않기를

덜컹거리는 낮밤이 사라지기를

경건히 기대해 보았다

저녁 6시를 막 지나고 있었다

귀엽게 사는 남자

내가 못났지만

저 아름다운 사람을 잊지 못하니

다가가지 못하고

하늘 끝을 보며 말해봅니다

내 떨리는 손에

황금 화살 하나만 쥐여 줘다오

그 옛날 누군가처럼

사랑에 빠져 헤나지 못하는

저 사람,

저 여인,

내 임 좀 보게

겨울눈

봄이 오면 머시 좋단 말인가

삶의 토막이 줄어드는데

사랑하는 이와의 이별이 한 움큼 당겨지는데

다스한 햇살을 맞고 싶은 거라면

생생한 꽃이 보고픈 거라면

너무 소박하지 않은가

어차피 오는 봄을 기다리지 말고

생가지 끝 겨울눈과 마주 서자

이제는 타락한 대기와 맞서며

그리도 차가운 눈보라에도 꿋꿋이 버티고 있는

알맹이를 보호하려

하루하루 죽을힘을 다하고 있는 네가

더 소중하다고

더 아름답다고

흔들림

내 안의 나, 내 앞에 섰다

천륜을 살피고 작지만

가장 어울리는 별 하나 품고자

흔들흔들 걸었다

외로움에 대고 망치질도 해 보았다

그리움에 대고 낫질도 해 보았다

입원실에 정박한 군상(群像)

울컥 천륜에 가라앉으면

흔들림 때문이리라

울컥 별 하나 품속으로 들어오면

흔들림 때문이리라

재회를 약속하며

내 앞의 나를 지운다

조기구이

식탁에 조기구이 한 마리 올라왔다

동그란 눈 유심히 보니 굳은 눈물

뾰족한 입 다물지 못하고

배와 가슴에 난 긴 칼자국

군데군데 불에 탄 시커먼 흔적

내 한 끼에 온몸을 바친

하얀 접시 위 참조기 한 마리

서해와 남해를 휘저으며

삶의 자취를 향해

단장하고 부레를 펄럭이며 울었던

그 찬란한 시절도 있었건만

삶의 자취를 위해

눈 부라리고 돌진한 어부에게 그만!

속절없이 끌려가며

함빡 어리둥절하며

물결 떠나 꺼려 몸부림치며

푸른 바다 깊은 곳 힐끗

억센 손아귀에 체념하는

똑같은 나도 언젠가는

자연의 순환에 실리겠지

공간

윙윙 날다가 누런 벽에 부딪혀

깊은 바닥에서 신음한다

윙윙 날다가 허연 창에 부딪혀

애틋한 풍경 사라진다

창밖의 갈망하는 자태

모르는 사람들 속에서

서서히 형체를 잃어가고

비명 속에 재가 되어간다

공간으로 애절한 눈빛 밀려온다

살려야 한다 미친 듯이

다시 윙윙 난다

꺼져가는 불씨 살아나

신비로운 자태는 숨을 토해낸다

순간의 희망이었나

공간을 벗어날 수 없다

처연한 자태는 다시 재가 되어 간다

연기마저 사라지니 끝내

날개는 접히고야 만다

덧없는 세월이라 했던가

바람에 실려 공간으로 들어온 재

회색의 가련한 형체로 거듭난다

윙윙 난다

널브러진 자태 위에서

다시 윙윙 난다

영영 공간에서 맴돈다

불청객

일별(一瞥)을 보냈을 뿐인 쓰레한 판잣집에 갇히다

낯섦의 뭉치를 흩는 처량한 레퍼토리

예보는 예보일 뿐

자기만의 길을 내고 싶다는 그녀는
어느 오름길에서 소삼함을 달래고 있을까

지금 밖에 사나운 빗소리 나뒹군다

연잎차 한잔 하고 싶은 시간

나무와 나무

산철쭉 옆에 나무 하나 서 있다

키만 뻘쭘하게 크고 꽃은커녕

잎도 보이지 않는 어둠 같은 나무

사람들의 시선은 진분홍 산철쭉꽃

아무도 볼품없는 나무에 가지 않는다

살며시 가까이 가 보니

아주 작은 잎들이 조랑조랑 매달려 있다

그 옆에 꽃눈 웅크리고 있다

봄바람인데 왜 이리도 차가울까

저기 익숙한 시내버스는 멈추고

투명한 창문에 이마를 기댄다

어둠 속에서 떠는 사람도 그러하리라

가까이 가 들여다보면 담백한 잎

맑디맑은 꽃눈 자리하고 있다

때가 되면 반드시 피어날

벤치에 잠시 앉아서

인생이 한순간이라지만

수도 없이 겹겹이 쌓인 순간에

하루하루를 어찌 부질없이 보내리오

아니 갈 수 없는 먼 훗날

햇살을 지그시 물고

흰 구름과 좋은 인사 나누려

무겁게나마 바람을 가르고 보니,

내게 따뜻한 눈빛 보내는

단 한 사람 곁에 있어도

설령 아무도 없을지라도

하루하루는 옹골지게 보낼 일이다

언제 이 신비로운 세상에

다시 오리오

간절한 물음

사랑인가요?

아무도 대답을 안 하네요

다시 물을게요

사랑인가요?

역시 아무 대답이 없네요

그럼 나 자신에게 물어봐야겠군요

사랑인가요?

……

마지막으로 하느님에게 물어봐야겠어요

사랑인가요?

……

산들바람이 내 귀를 스쳐 간다

어디로 가는지 모른다고

한 번 지난 곳은

다시 갈 수 없다고

바람으로 부는 거라고

팬텀기

밤새 내린 운치로운 함박눈

새벽잠을 난도질하고

벌겋게 충혈된 눈 반쯤 뜨고

넉가래에 몸을 기댄다

어김없이 들려오는 굉음의 아침

일사불란 공구통 손에 들고

이글루 향하는 길 들어서면

한갓진 고향, 털썩 내려앉는다

마음먹기

쉼표 없는 장대비가 내리치는 까닭은

집채만 한 우산을 가지고 있기 때문

붙잡고 오를 빛발은 누구나 따로 있는 법

마음은

깊은 콜카캐년, 난해한 상대성이론

조심히 바라보고 수없이 두드려야 한다

오늘 하루는 미증유(未曾有)의 기적

끝이 보이지 않는 자갈길을 걸어가야 한다면

한 수레의 노래와 낡은 의자 하나 챙기기

눈 덮인 산 정상에 막 올랐다면

매무시하고 산을 한번 펼쳐보자

자연이 내게 연락하지 않는 까닭은

나의 연락을 기다리기 때문

빵 한 조각

한 나그네 무심코

먹다 남긴 빵 한 조각 던져주고 간다

괴이한 소리를 내며 발버둥 치는

커다란 산을 인 똥개 한 마리

교향곡에 심취한 나그네

지휘자인 양 손놀림하며 산 쪽으로 사라진다

수양버들처럼 휘늘어진 기절한 똥개

파리 떼가 들러붙은 빵 한 조각

춘천역에 내려

거운 그리움

떠나올 땐 이슬비

이젠 장대비

기막힌 순정(純情)은,

막차를 보내고

밤새 헤매었다

오를 수 있는 가장 높은 절벽에서

수심(水深)을 버린 나의 사랑

또

자못

거리(距離)

임아! 가파른 절벽이 그대 마음을 침노하여 검은 손을 내지른다면 바라볼 수밖에 없는 저는 꺾이는 순간 더 이상 꽃이 아닙니다

절망의 햇빛에 타들어 가고
가난의 물에 허우적거리며
꽃은 그렇게 죽어 갈 것입니다
처음 만났던 그곳에 머물러 계셔야
그대의 사랑스런 꽃입니다
언제나 그곳에 머물러 계셔야
우주를 수없이 돌고 돌아 만난
우리 사랑이 살아갈 수 있습니다

순응

억수 같은 비가 내리는 지금

낡은 우산도 하나 없이

온전히 그대를 맞고

다시

그대가 여지없이 쏟아지는 지금

살 부러진 우산 하나 없이

찬찬히 그대를 맞고

우련한 아름드리나무처럼 흠뻑 젖어

마를 때까지는

그대, 내 곁에 있으니

간단치 않은 세월

언제 다시 찾아올지, 알 수 없으니

저편

대학 중앙도서관 입구

커다란 일원상 조형물이 세워져 있다

오른쪽으로 기울어진 모양새다

기울어짐이 틀림은 아니리라

곧게 뻗은 큰길만 가지 않고

잡초 무성한 좁은 길도 가리라

엉뚱한 발상을 하는 아이에게

희망찬 미소를 띠어 주리라

옷이 초라해도 눈빛과 언어를

탐색하는 것을 놓치지 않으리라

공황장애를 앓는 친구에게

따뜻한 어깨를 내주리라

나를 바라보는 사람이 있다면

외면한 사람을 떠올리리라

그래

계절이 수북이 쌓이면

가까스로 모두 내려놓고

저편으로 가리라

대나무꽃

누굴 기다리다가

새벽 실바람 소리 들은 적 있는가

누굴 기다리다가

섣달그믐 빈 의자를 마주한 적 있는가

단 십 년이라도

한 설움을 오직 한 설움을

안아준 적 또한 있는가

여기,

우리들 앞에 서 있네

백 년을 기다리고 기다리어서

노란 저고리

녹색 치마 차려입고

다시

백 년을 불태우는 여인이!

제2부

그대에게 말하노라

살아나라

살아나라

핏빛의 태양도

악마의 바다도

숨죽일

큰 꿈을 위해

숨을 토해 내라!

두려운 출렁임

감기지 않은

멍든 두 눈아

부르다 부르다

늘어진 팔아

꽃 노을이 졌다가

다시 피어나듯

철새가 돌아오듯

살아나라

살아나라

잠시 멈추었던

그 길로 가

가장 푸르른 꿈을

다시 꾸어라!

일련번호

우리들의 화단이다 봉곳 꽃나무

쉭! 쉭! 쉬이익! 세 바람에 쓰러졌다

구급차는 바람의 뒤편을 싣고 사라지고

경비원은 붉은 계절을 안으로 밀어넣었다

보물 1호를 열어 표제어 '개체'를 읽는다

빨간 줄을 그은 후 형광펜으로 다시 긋는다

파도치는 바다 부서져 가는 뗏목도

여울목 찢긴 종이배도 이유가 될 수 없습니다

인생 계약서의 손가락 무늬가 몰래 지워졌습니다

위반도 하지 않았는데 말이죠

황조롱이가 새끼들을 데리고 떠나가네요
주위를 에워싼 양떼구름 때문이죠

정원사가 꽃나무를 세워 손질하고 있다

생산 라인을 막 통과한 세상에 일련번호가 매겨진다

2014

힘센 아저씨가 개나리를 가리키며

소녀에게 진달래라고 알려 준다

소녀는 진달래가 아닌 줄 알지만

아무 말 하지 않고 조용히 웃는다

힘센 아저씨도 같이 웃는다

개나리를 바라보며 소리 없이

소녀의 눈을 피해

모방

폐자재 널려 있는 스산한 변두리

고양이가 새를 삼켜버렸다

다음 날 아침

고양이 어깨에 날개가 돋아나더니

작은 거리를 힘들게나마 날아갔다

그 모습을 지켜본 한 사내

망설임도 잠시 단숨에 새를 삼켜버렸다

다음 날 아침

사내의 입이 점점 튀어나오더니

말을 제대로 할 수 없게 되었다

또 다가오고 있어

내가 지금 이 가을 어둑새벽

이불 속에서 홀로 울고 있는 까닭은

누군가 간절히 그리워하기 때문일 거야

어젯밤부터 그랬지

낮에 인사하고 헤어져

저녁에 많은 대화를 나눴지만

오늘 다시 만나는 그 사람이지만

결국 머지않아

볼 수 없는 사람이기에

봄이 오면 만나자고 말은 건네겠지만

그 사람도 그러자고 하겠지만

세월이 어디 그리 쉽던가

낙엽이 쌓이면

팔다리가 더 아플지 모르고

눈이 내리면

스러질지도 모르고

나의 가족과 친구들은 또 어떻고

봄은 어김없이 오지만

이름은 분명 기억하겠지만

두려운 세월 때문이라 말하는 게

찾아온 눈물에 대한 배려일지도

경청(敬聽)

어렵도다 참으로

인공호 물을 표주박으로 떠내는

수천 그루 관목을 자르는

낙엽 하나하나 여린 손으로 줍는

그것처럼 하지만

깊이 스며들면

아침 공기 퍼지는

낮달이 나타나는

하루해 끝닿는

그 소리 모두 들릴 듯하니

찰나의 존재

사람 세상에서는

천하를 얻으리니

센타우루스자리 프록시마

그 별에 손을 뻗어 본다

종합병원

강물이 흐른다

나도 흐른다

돌아보니 대뜸 산봉우리

몇 개 푸르른 기억밖에

메밀잠자리

잠자리가

아기 목덜미에 내려앉았네

날개를 펄럭거리며

무어라

자꾸 말을 하고 날아갔는데

귀가 간지러워

간지러워

그 잠자리 언제 다시 오려나

아기는

첫 기다림을 시작했네!

관성

타란툴라 배 속으로 들어갔다

벽을 타고 오르는지 부웅 뜬다

이리저리 흔들리니 구토가 날 듯하다

갑자기 폭발적 움직임으로 정신을 잃을 뻔했다

먹이를 사냥했던 모양이다

얼마나 지났을까

이제 그만 나가고 싶다 하지만

어둡고 비좁아 출구를 찾을 수가 없다

찌꺼기를 받아먹으며 살아 볼까도 생각해 본다

어지럽다

시끄럽다

배도 고프다 그러나

조금 있으면 찌꺼기가 떨어질 것이다

생활이 익숙해진다

익숙해짐이 슬프다

표현하기 힘든 큰 소리와 함께 주변이 무너졌다

옆에

배가 터진 타란튤라 한 마리가 보인다

다시 일어나서 걷고 싶다 하지만

관성의 손이 내 머리를 짓누른다

그놈의 손, 힘이 너무 세다

난 또다시 쓰러진다

바닥에 얼굴을 묻고 작은 세상을 바라본다 그때다

허물을 벗은 타란튤라 한 마리가

맹렬히 달려오고 있다

등

어긋난 뼈를 드러내고

미래(未來)에 톡 톡 오래 걸려

문자를 전송했을 어머니

세월의 표면에 죄를 묻기엔

세월의 안이 너무도 수상해

조막만 한 가슴과 드넓은

등이 빚어낸 운명의 접선이여

까꿍 까꿍 까르르 까르르

돌라맨 포대기 너머 퍼지는

절대 교감 이중주

세월은 철퇴(撤退)를 모르니

모래바람이 박히고 무수한

돌덩이가 굴러떨어지고 급기야

진앙과 진원의 거리를 잰 것이다

가다듬으려 찾은 낯선 골짜기

산사나무 잎이 참 푸르기도 하다

이제 한 뼘의 등을 일으켜 드리니

붙따르는

정숙(情熟)한

은혜의

발길

한 사람

흔적의 열(列)이 생기면 흐트러진다

허공을 채우는 붓끝이 사나웁다

그대 어느 빛에 서 있는가

끝에서 끝으로 떠도는
지친 발자국이 있었고

서해안 귀퉁이
긴 목을 뻗어 부르는 외기러기가 있었다

그대 무슨 여백을 그리고 있는가

이제 정녕 멀리

산자락 노루귀가 봄을 준비한다

끄트머리 겨울을 묻고

낙엽

보고 싶다는 것은

절박하게 보고 싶다는 것은

보아도

보아도

돌아서면 더욱 사무치게

보고 싶다는 것은,

늦가을

한적한 길가에 쓰러진 낙엽들

바람이 불면

아무런 저항 없이 날려가

부딪힐 수밖에 없는

밟으면

그 낯선 부서짐을

견딜 수밖에 없는

이미 떨어져 버린 잎

어찌할 수 없는

원래의 자리

구름의 허연 긴 네모꼴, 온몸을 덮는다

그대여

밝은 해충을 다시 본 적이 있는지요

밝은 해충은 원래의 자리로 돌아갔지요

우주 밖은 아니겠지요

빨리 밝힌 해충은

원래의 자리가 걱정됐던 것이지요

늦게 밝힌 해충은

어찌 되든 말든 실컷 놀다 가는 것이지요

좀 빨리 가면 어때요

늦게 가면 또 어때요

어차피 잠깐 나온 거에요

연인

버진 새는 하늘 한구석으로 가 웅크리지

구름에 놀라고 달빛도 두려워해

그대와 난 모래알과 모래알

때론 별과 별

그 사이도 저 사이도 제물로 그윽한 것을

마침 바람결에 실어 그대에게

전할 수 있다는 것을

끝내 서로를 알지 못하겠지만

고산의 교목처럼

두 발 외우 바윗돌처럼

개살구

꼬마는 알파벳의 뒤쪽을 봤다고 했다 숫자는 가끔 옆면을 보지 못한다고 공주처럼 우아하게 말했다 적응을 마치자 거리낌 없는 야생적 언행으로 창문을 뚫는 호기심으로 모두를 놀라게 했다 꼬마는 가끔 늙은 그에게 카톡을 보냈다 강아지를 담을 화분을 사 달라고 요구하기도 했다 커다란 그녀를 타고 오를 사다리를 구해 달라고도 했다 대설주의보가 내린 어느 날이었다 오전의 기대를 놓쳤다며 오후를 떠나겠다고 눈망울을 반짝거리며 말했다 늙은 그와 커다란 그녀는 관행적으로 설득했지만 꼬마의 마음은 이미 다른 오후에 가 있었다 오늘 밤 달빛은 조금 더 어두워질 것이다

오후의 향기

강나루 나룻배 촛불 가득

수련처럼 고운 손놀림 하나하나

작은 희망 오종종 나뜨고 있는

헤살, 드문드문 바람

멀어지는 멀어지는 전파(電波) 끊기는

눈 내리는 방

두 눈만이 반짝거리는

어두운 방에 눈이 내린다

누군가 창문을 두드리는데

소리는 나지 않는다

눈송이 위에 네가 누워 있다

희고 흰 모습으로

두 손을 가슴에 얹은 채

눈이 멈추고

다시 눈이 내린다

누군가 부르는데

돌아보면 아무도 없다

눈송이 위에 네가 서 있다

정갈한 모습으로

미동도 하지 않은 채

지난 스산한 겨울

네가 나에게 주었던 일상

어느새

방은 눈으로 쌓여

나의 두 눈은 사라진다

산수유

힘없이 걷다 서서 꽃에 말했다
한 사람이 그리워 밤새 앓았다고

주위를 장악한 꽃은 말한다
봄이 그리워 겨우내 그랬다고
앞쪽에서 북풍한설 맞으며

한숨 쉬고 다가가 속삭인다
그지없는 길은 아니지 않았냐고

샛노란 꽃의 호흡이 빠르다
무사히 맞은 건 작은 기적이라고
기약하지 못하는 가을이라고

무덤

어느 누군들

휘몰아치는 바람으로

간절하지 않았으랴

어느 누군들

흔들리는 갈대로

한숨짓지 않았으랴

구메구메 쌓은 사랑 뒤로하고

봉분하니 묘석이라

서산에 해는 지는데

인생에 걸려

한 걸음도 떼지 못하고

새벽이슬 맞는다

칼에게

내 삶을 자르고

나부시 내려앉으세요

아프지 않아요

참을 수 있어요

그대를 사랑하니까요

죽도록 사랑하니까요

그렇게도

그 사랑

그대는 모르니까요

섬

구천(九天)을 또 또 떠돌다가

끝장에 이르러 나의 땅을 찾았나니

그 자그마한 섬 수간(樹幹)에

양각의 문패를 달았다

뭍에선 섬을 볼 수 없지만

물안개가 피어도 뭍은 볼 수 있다

둥그스름한 내음 바닷물이

오르락내리락하며 사뭇

잔잔한 세레나데를 들때리니

감은 눈 멀리 초상화가 안 걸릴 수가

아, 이는 어찌할 수 없는

섬, 섬의 양면(兩面) 아니겠는가!

부르는 까닭은

새를

새라 부르는 까닭은

날고 싶을 때 날 수 있음을

알지 못함이리라

정(情)을

정이라 부르는 까닭은

내 세월 한 덩이, 송두리째 가진 그대임을

알지 못함이리라

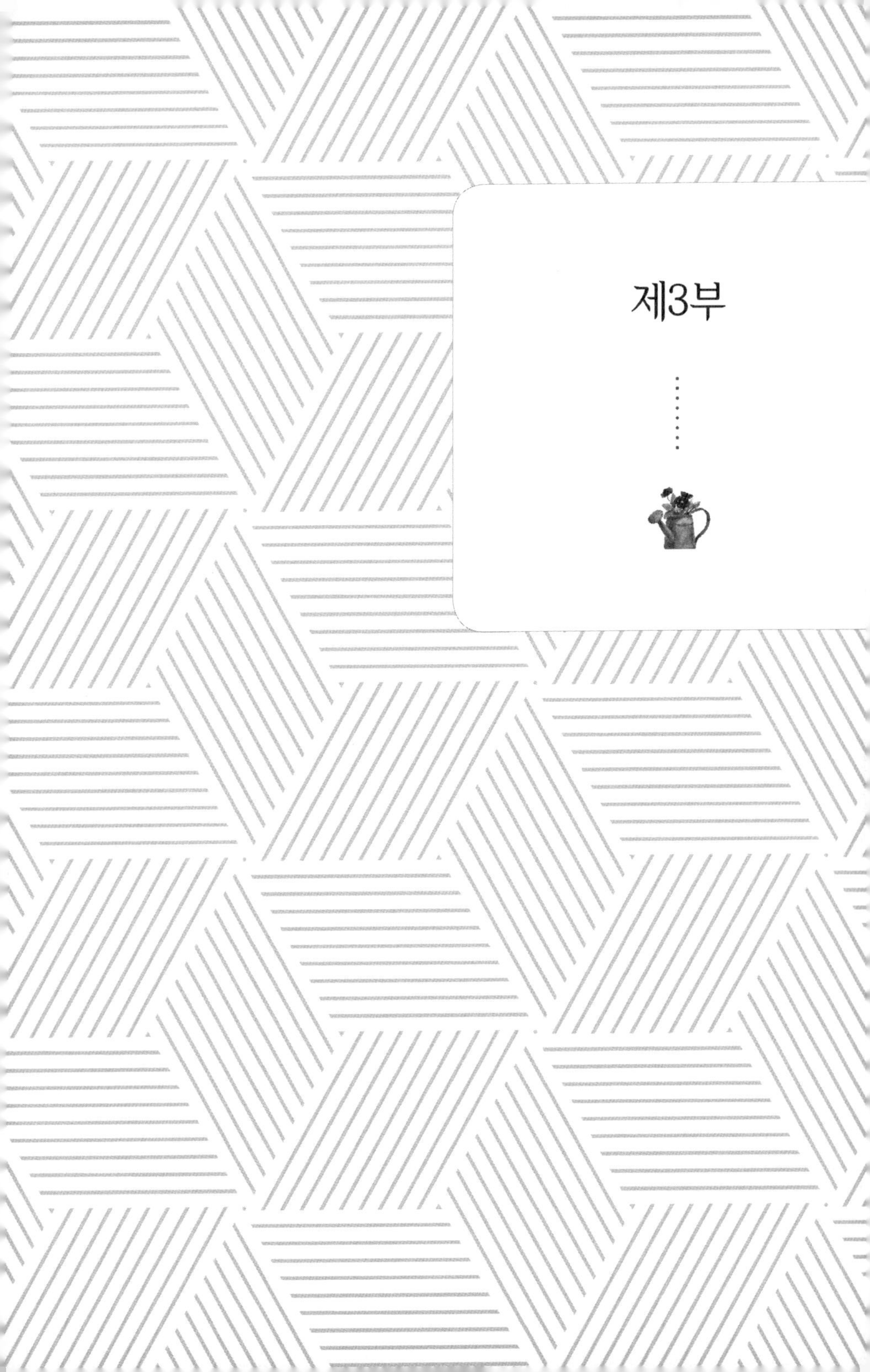

제3부

변곡점

동해 외딴 섬 바다제비

가을을 떠난다 쇠무릎 가시 뚫고

말을 하고 싶지만 할 수 없었던

반도의 오랜 정중동(靜中動)

최루탄 귀 옆 스치고

눈물 콧물 뒤범벅

분신으로 지새운 손에 손잡은 밤

낯설은 자유였나

침몰과 붕괴의 국화 향기

훽! 기어이 반도를 뒤엎는다

비장한 발걸음 너도나도

가쁘다 수선되는 세상

그때와 다른 갇힘으로

21세기는 속절없이 스며들었다

봄의 바닷바람 벗기며

저기 바다제비 돌아온다

아빠와 까치

빗살무늬 햇살 초여름 아침

아빠와 딸 손 잡고 걸어간다

까치 한 마리 날아들어 지붕에 앉았다

아빠가 까치라며 검지를 치켜들자

딸은 무심코 제비라 한다

까치라고 다시 말했지만

애절한 눈빛으로 계속 우긴다

그래 제비야 제비 맞아

아빤 결국 제비라고 말해 준다

의기양양하게 걷는 딸

아빠도 박자를 맞춘다

햇발을 툭툭 자르며 다가온 까치

양쪽 날개를 둥글게 모아

아빠의 머리를 쓰다듬는다

하늘에 쓴 이름

여우비가 갰습니다 하늘에

당신 이름을 또박또박 씁니다

여우별이 났습니다 하늘에

제 이름을 얼른 씁니다

당신이 더, 더 많이 오래도록

밝은 시간을 보내야 하는 까닭입니다

그윽한 당신의 이름

한 자 한 자 천천히 읽어봅니다

새 한 무리 멈칫멈칫

같은 모양 이루려, 날갯짓이 바쁜 엷입니다

호미

우리 모두 호미를 들자

뿌우연 대기에 꼬옥 쥐자

엄마 찾는 어린이도

막걸리에 빠진 술꾼도

넥타이 사무원도 때론 들어야 한다

부조리를 캐내야 함이다

땀에 바람이 무력해도

굳은살에 처량한 노래여도

또바기 파내야 한다

지독히도 사랑할 수밖에 없는

이 땅덩어리니

지구의 가장 결백한 데가

바로 여기어야 하니

하니 말이다

우리 모두 힘껏 호미를 들자

11월

지구의 길은 무수히 진 잎을 만들고 있다

나의 길은 가을 끝자락, 배회로 저물고 있어
너는 너의 길을 남김없이 갔을 뿐인데

으스스한 바람은 휑하니 제 갈 길을 가는데

피서

삼복 더위에

수매미 울어대고 목탁 소리 늘어진다

깊은 계곡

가부좌를 튼 부처들이

몸을 반쯤 담그고 웃고 계신다

산새들도

묵직한 분위기에 눌려

숨죽이고 미간주를 응시한다

인근 절에 불공드리러 온 사람들

부처는 없고

떨어져 나간 자리에 쇳조각만 나뒹군다

부처님도 얼마나 더우셨으면

군산부두에서

끼루룩 끼루룩 해고양이

정답게 잘도 나는구나

후미진 습지에 주저앉았습니다

자욱한 미련

사라진 바다

새벽녘에야 갯바람에

고개를 치켜듭니다

지난 사랑은 다음 사랑의 거름

되돌아가는 들녘 개구리미나리

활짝 노란 다섯 꿈

신발

뒤꿈치가 균형을 잃었습니다

오래도록 당신께 걸어와

반듯한 사랑을 꿈꾸며

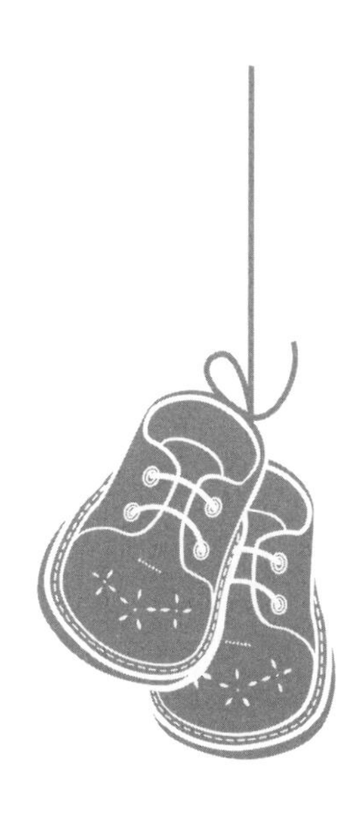

꿈

속가슴엔 촛불이 타고 있었지요

흥건한 액을 남기며 무척이나 밝았지요

설핀 춤사위에 빛은 넋을 잃었고

조용히 멍들어가는 나날이었지요

침묵을 따라 발자국을 흘렸어요

바짝 엎드린 지난 하루하루를 밟아 본 거예요

가지 마라

가지 마라

옷자락을 마지못해 붙잡는 바람,

내리는 비가 구부러져

자꾸 저 먼 곳을 가리키는데

무거운 눈꺼풀은 이내 시들었지요

마침내 철길은 끊어지고

낡은 쪽배 한 척이 서 있었지요

서쪽 하늘은 저녁놀이 장악해 버리고요

바다 끝에서 철새를 볼 수 있을까

돌아올 수 있을까

퍼런 얼굴이 또 선했지만

결국 마지막 촛불을 켜고 말았어요

지금 쪽배에 타고 있는데

졸리네요

금마저수지

초겨울 추적추적 산봉우리 구름

한반도 모양이라는 말은 들었지만

지금 마냥 부러운 창천(蒼天)의 새

하얀 거룩함을 폭넓게 두른 미륵산

고대 왕국 애니미즘의 결정체

서동정에 앉아 선화정을 바라본다

사랑의 다릿길을 걸어가는 익은 연인

성긴 추억은 큰 각도로 휘어진다

잎이 높아 공허한 억새의 갈대 생각

2층짜리 하얀 카페가 눈에 들어오고

직각으로 물새의 수평 이동

고막을 울리는 군용 헬기

한낮 이 정교한 난장판을

어찌 바라만 볼 수 있겠는가!

그 무엇

다른 은하의 붙박이별

그 별을 도는 떠돌이별

그 별에 사는 무엇

그 무엇도 우리를 생각할까

우리를 찾으려 끝없이

망원경을 깨부수고 있을까

그 눈동자에

파도치는 바다

수풀 우거진 산

박혀 있을까

같이 살지만

만날 수 없는 그 무엇

노을 진 하늘이 쓸쓸해 보일 때

눈 감고 떠나는 수밖에

새로운 시간

도시의 뱀으로 살았다 긴 혀를 날름거리며 차가운 시멘트 바닥을 흐물흐물 기어 다녔다 비늘이 까져 쓰릴 때면 독의 성능을 확인했다 독은 강한 자를 잡을 때 빛을 발한다 상처에 덧날 무렵 의연한 자세로 시간을 물고 독액을 주입했다 바닥에서 섭취한 양분의 힘으로 맹독을 뿌렸다

잘 죽지 않는 시간!

덧난 부위에 풀을 뭉개어 붙이고 후미진 뒷골목까지 훑으며 고농도 양분을 마구 섭취했다 다시 시간을 물고 몇 날 계속 죽을힘을 다해 맹독을 뿌려댔다 아, 가까스로 새로운 시간이 펼쳐지려 한다 몸뚱이를 뒤집자 구름 한 점 없는 하늘에 새 한 무리 흐른다

푸른 노을

작은 기차역 출구 수년

끝내 눈빛은 시들고

조화(調和)를 잃은 단면도

무너지는 가을날 나를 안았다

짙지도 옅지도 않은 손길

강물길 따라 그리듯 걷는다

그대에게 드리는 소품

동뜨게 혼자인 게 사무치면

그대는 행복한 것이리라

누군가 애타게 그대를 기다리며

살아가고 있으니

지난밤 조각달이 떠오르면

그대는 넉넉한 것이리라

차지 않아 그대 마음

채워주고 싶은 것이니

홀연 멀리 떠나고 싶다면

그대는 깊게 사랑하는 것이리라

그대의 지인을

고향을 그리고

그대 삶을

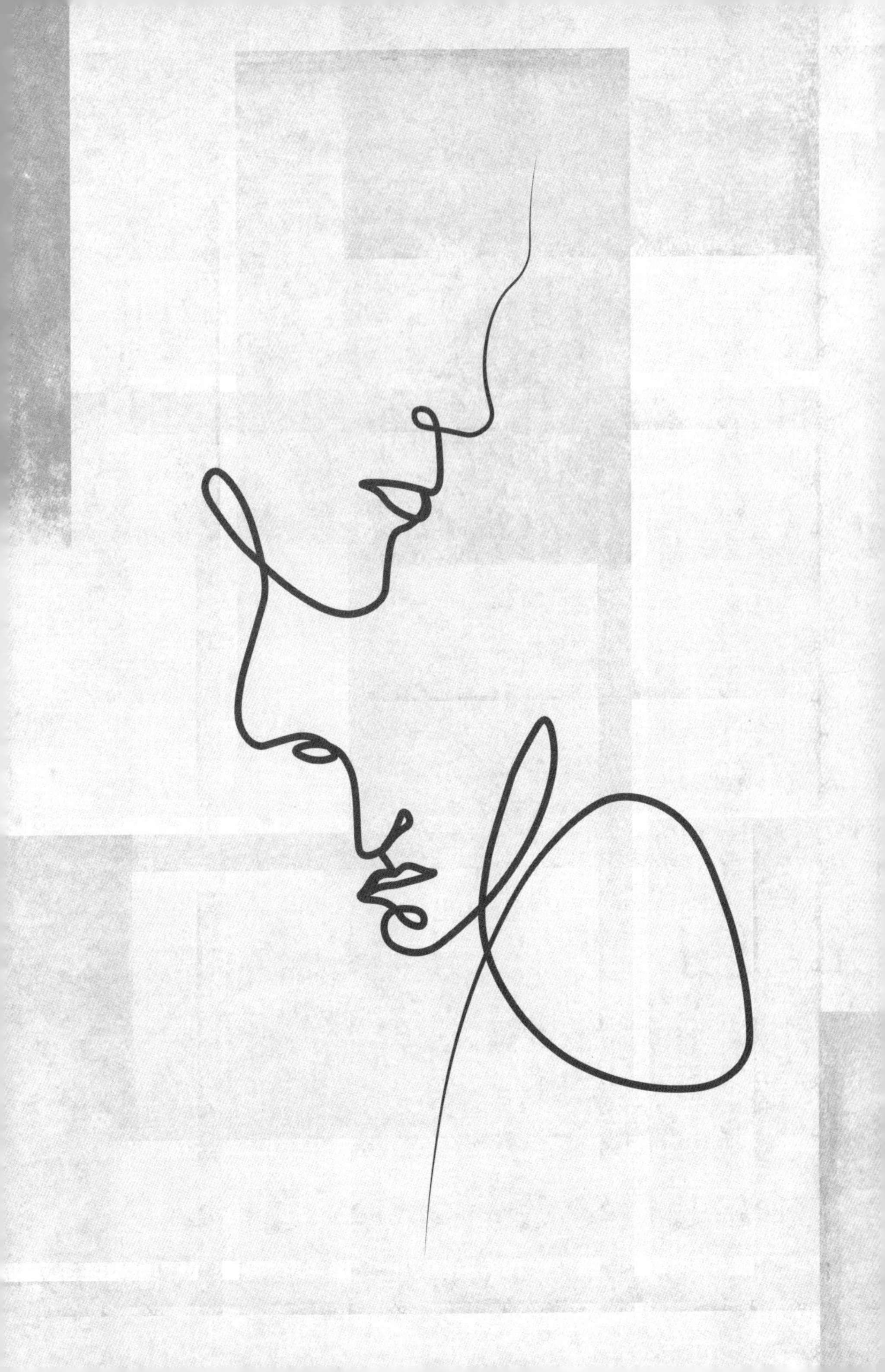

연(緣)

가끔 우주적 시각을 가질 수 있는 것이다

지극히 사사로운 단 한 번의 반짝임

죽음도 삶

삶도 죽음

헤어짐도 만남

만남도 헤어짐

이거야말로 기막히게 서글프지만

그 반짝임을 우린 그만 잊고 사는 것

그래야 살아갈 수 있는 것

사랑할 수 있는 것

조금 더 여유로워지면 되는

조금 더 사랑하면 되는

새벽길

다따가 타다닥!

방금 눈앞에서 새 두 마리가 날아갔다

대체 어디로 가는 걸까

나우 따라가고 싶다마는

발걸음은 어제와 같다

그대에 젖은 가슴, 가만히 손으로 보내면

저 우주를 품을 수 있나니

마냥 부럽지만은 않으리

편미분 방정식

호우특보가 내린 날마다
대지는 새로운 풍경을 창조했다

시골 할머니의 굵은 손이
나의 등짝을 사정없이 내리친다

전호후랑, 다시 번식이 타오른다

그들은 하얀 가운을 입고 보물단지를 찾으러 떠났다

바람에 뺨을 맞고 돌아온 나는
오래도록 손을 씻는다

창문을 열어젖히자
두 눈 아래 비구름이 흐벅지다

감사(感謝)

기어이 한세상 출구에 서고야 말았을 때

감사했다는 말, 할 수 있을까

별에

나무에

누구도 알지 못하는

삶에

Thank You

겨울 한복판에서

그때 진 꽃 그 자리
소로시 다시 피어날 수 있을까

캄캄한 대기를 날아가
잎맥의 가지런함 살피고
완행열차처럼 걸어와
그림자와 술 한 잔

어둠이 싫어 쏟아지는 별들이 있을 거야
멧부리는 정갈한 식탁

산새 두 마리가
모이를 쪼아 먹는다

어울림

맑은 고독을 준비하는 시간이었지만

철없는 아저씨와 약은 약관(弱冠)

윤슬을 치고 가는 희뜩한 새

늙은 여인은 호숫가를 어슬렁거리고

과일나무 아래 아저씨는

벌러덩 누워 목젖을 드러냈다

약관은 숨을 데를 찾으려

사방을 두리번거려

이질(異質)에 지칠 무렵

사랑하는 중년의 여인, 쪽지를 던지고 사라진다

힘없이 네 번 펼치자

물방울 튀기며 천천히 돌아가는 물레방아

덤불 뒤에 쪼그리고 앉아 있는 약관

단감을 건네며 히죽거리는 아저씨

미안하다는 말밖에

누구나 받을 수 있는 빛이지만

실처럼 가는 빛도 들어가지 않아

소리도 들리지 않아

누구의 기분을 맞추려 울지도 않는 거니

그 조그만 팔도 다리도 뻗을 수 없어

심하게 뛰었던 너의 심장이

이제는 희미해져 가

상처 입은 고양이가 안쓰럽지만

어디든지 갈 수는 있어

미루나무는 탁 트인 공간에서

마음껏 호흡을 하지

몸을 누일 수 있었을 때

너의 심장은 이미 멎었어

적막을 잇는 시퍼런 한탄

구름끼리 연신 부딪는 하늘

끌밋한 천사님 내려오셔

감싸 안고 곱다시 올라가시니

나래의 슬픈 펄럭임

씨앗

혹자는

봄을 기다리지 않는다

새 계절이 오는 건

씨앗이 한 움큼 사라지는 것

눈부신 청춘엔

너무 많아 흘리기도 했던

척박한 땅에 뿌려

꽃피우지 못함에 쓴웃음을 짓기도 했던

아쉬움을 얹고

남아 있는 씨앗들을 바라본다

반짝인다 모두 하나같이

조심스레 만져본다

뜨겁다 지난봄보다

창문을 적시는 진눈깨비

혹자도

따라

젖는다

숨은 이병자(罹病者)

어둠이 앞쪽으로 가니 무표정한 아침이다 척박한 땅에서 버티고 있을 처처(凄凄)한 꽃나무 찾으러 떠난다 묵직한 거름통을 짊어지고 묵묵히 걷는 길에 쌩쌩 부는 찬바람은 야속하다 다리는 아프고 가쁘지만 부릴 자리가 보이지 않아 계속 걷는다 큰키나무 사이 어느 외딴곳에 다다라 발견했나니 그 모습 참 가엾도다 점무늬 가득한 축 처진 이파리와 비틀어진 줄기. 짓눌려 터진 어깨를 견디며 가져온 거름을 나비가 날아가듯 뿌리고 물레방아 돌아가듯 차곡차곡 밟는다 무릎 꿇고 오래 걸릴 기도를 시작한다 계절이 두 번 바뀌고 몇 날 더 지날 무렵 또렷이 들리는 향기에 눈을 뜬다 그 가엾던 나무가 그 쓰러져 가던 작은 나무가 다정한 꽃을 피워 다가서 있는 게 아닌가! 오, 정녕 이보다 기막힌 감응(感應)은 없으리

짙푸른 휘파람 날리며 다시 떠난다 처처(凄凄)한 꽃나무 하나 찾으러

내일을 붙들고
오늘도 흠뻑 걸었다

펴 낸 날 2021년 02월 04일

지 은 이 김종희
펴 낸 이 이기성
편집팀장 이윤숙
기획편집 서해주, 윤가영, 이지희
표지디자인 서해주
책임마케팅 강보현, 김성욱
펴 낸 곳 도서출판 생각나눔
출판등록 제 2018-000288호
주 소 서울 마포구 잔다리로7안길 22, 태성빌딩 3층
전 화 02-325-5100
팩 스 02-325-5101
홈페이지 www.생각나눔.kr
이 메 일 bookmain@think-book.com

• 책값은 표지 뒷면에 표기되어 있습니다.
ISBN 979-11-7048-195-9(03810)